# LEONARDO DA VINCI

## ÉCRITS ET DESSINS / DRAWINGS AND NOTES

*L'Instant Durable*

ÉDITIONS

*N'as-tu pas vu que les montagnardes,*
*pauvrement vêtues, imposent leur beauté*
*aux femmes parées d'atours ?* Codex Urbinas, 131 r.

2

*have you not beheld that the poorly attired*
*mountain women are endowed with greater*
*beauty than those who are so finely adorned ?*
Codex Urbinas, 131 r.

Léonard naît le 15 avril 1452, à Vinci,
petit village de Toscane noyé dans les oliviers.
Il est le fils naturel du notaire du lieu,
ser Piero, et d'une certaine Caterina
dont nous ne savons rien. L'année même
de sa naissance, son père épouse une riche
jeune fille de Florence. Léonard passera
son enfance à Vinci, d'abord auprès de sa mère,
puis lorsque celle-ci se marie à son tour,
dans sa famille paternelle.

Leonardo da Vinci was born on the 15th of April 1452 in Vinci,
a small Tuscan village set deep amongst the olive trees.
He was the son of the local notary,
Ser Piero, and of a certain Caterina,
of which little is known. In the very same year
of his birth, his father married a rich
girl from Florence. Leonardo was to spend
his childhood in Vinci, first with his mother,
and then, when she in turn married,
with his father's family.

3

**ÉTUDE POUR LA *MADONE LITTA*, vers 1476.**
Pointe d'argent sur fond vert.
**PRELIMINARY SKETCH FOR *MADONNA LITTA*, circa 1476.**
Silver point drawing on a green background.

*L*es ambitieux qui ne se contentent pas
des bienfaits de la vie ni de la beauté de ce monde
le payent dans les tourments de leur propre vie
et ne parviennent à saisir ni l'intérêt
ni la beauté de ce monde. Codex Atlanticus, 91 v. a

Léonard de Vinci, élevé dans un village
par ses grands-parents et un jeune oncle célibataire,
connaît une enfance sauvage et solitaire.
L'harmonie de la nature, la succession des saisons,
l'amitié des bêtes constituent sa première approche
d'un monde qu'il découvre d'abord avec ses yeux
et avec ses mains. Toute sa vie,
il placera l'observation personnelle
au premier rang de ses méthodes de recherche.

4

*A*mbitious people who do not content themselves
with either the blessings of life or the beauty
of this world, suffer for it through the agonies
of their own lives and are powerless to seize
either the allure or the beauty of this world.

Codex Atlanticus, 91 v. a

Leonardo da Vinci, raised in a village
by his grandparents and a young unmarried uncle,
endured a rude and solitary childhood.
Nature's harmony, the succession of the seasons
and his friendship with animals, constituted his first encounters
with a world which he discovered first with his eyes
and with his hands. For his whole life,
he was to rank personal observation
above all else as a method of research.

**PAYSAGE DE LA VALLÉE DE L'ARNO, daté du 5 août 1473.** Dessin à la plume.
**LANDSCAPE FROM THE ARNO VALLEY, dated 5th August 1473.** Pen-and-ink drawing.

Même si, comme eux, je ne puis invoquer les auteurs, il est bien plus honorable d'invoquer l'expérience, maîtresse de leurs maîtres. Ces gens-là ne cessent de se donner de l'importance, en arborant les durs travaux d'autrui, et refusent de reconnaître les miens. Or, s'ils me méprisent en tant qu'inventeur, ils devraient être d'autant plus blâmés qu'eux-mêmes ne sont point des inventeurs, mais les clairons et les interprètes des œuvres d'autrui.

Codex Atlanticus, 117 r. b

Even if I, like them, are unable to invoke the authors, then it is a far more honourable thing to invoke the experience, the master of their masters. Those people do not cease to act self-importantly by displaying the hard toil of others and refusing to recognise my own. But if they spurn me as an inventor, then they should be rebuked all the more for they themselves are not inventors, but rather the proclaimers and the exponents of the works of others. Codex Atlanticus, 117 r. b

Agé d'environ quatorze ans, Léonard de Vinci vient vivre à Florence où son père exerce désormais. Au moment de choisir une carrière, il sait que toutes les professions socialement considérées lui sont fermées puisque les règlements de leurs corporations en interdisent l'entrée aux enfants illégitimes. Il apprendra donc la peinture, considérée alors comme un de ces « arts mécaniques » où l'activité manuelle prédomine, et que la Renaissance oppose aux « arts libéraux » (qui font appel à l'étude). Léonard luttera toute sa vie pour faire reconnaître à son art la place qu'il mérite en tant qu'œuvre de l'esprit.

At the age of about 15, Leonardo went to live in Florence where his father was now practising. When it came to choosing a career, he knew that all the socially respectable professions were closed off to him, for the rules of their guilds prohibited the admission of illegitimate children. Hence his decision to study painting, one of the so-called 'mechanical arts', where manual work predominated and which the Renaissance set against 'liberal arts' (which required study). Leonardo was to spend his entire life battling to gain recognition for the status his art deserved as a 'spiritual creation'.

7

**CARICATURE DE LA PÉDANTERIE, vers 1490.**
Pierre noire.
**CARICATURE OF THE PEDANTRY, circa 1490.**
Black stone drawing.

**N**e me méprise donc pas, car je ne suis pas pauvre. Codex Atlanticus, 71 r. a

**D**o not spurn me, for I am not poor. Codex Atlanticus, 71 r. a

Ser Piero montre les premiers dessins de son fils au peintre Andrea Verrochio qui fut « stupéfait par des débuts si prometteurs et l'engagea à le faire étudier » (Vasari). Le jeune homme entre donc comme apprenti à la « bottega » de Verrochio, alors fournisseur des Médicis : pour leurs fêtes, leurs palais, l'artiste doit pouvoir fournir à la demande peinture, sculpture, orfèvrerie, décorations diverses... Le travail se fait en équipe et les œuvres de cette époque sont le plus souvent le fruit d'une collaboration. Léonard de Vinci, puis Michel-Ange seront les premiers à revendiquer leurs œuvres comme l'expression de leur individualité.

Ser Piero showed his son's first few drawings to the painter Andrea del Verrocchio who was "stunned by such promising beginnings and engaged him as his student" (Vasari). The young man thus entered Verrocchio's 'bottega' as an apprentice - purveyor to the Medicis. For their feasts and their palaces, the artist had to be able to supply on demand pictures, sculptures, gold plate, a variety of decorations… The task was executed in teams and his works from this period were more often than not the fruit of this collaboration. Leonardo da Vinci, and then Michaelangelo, were to be the first to proffer their works as the expression of their individuality.

**TÊTE DE JEUNE FEMME, vers 1473.** Sanguine.
**GIRL'S HEAD, circa 1473.** Red chalk drawing.

*L*a force naît de la violence et meurt par la liberté. Elle meurt d'autant plus vite qu'elle est plus grande. Elle se consume, écrase avec fureur ce qui s'oppose à son désir. Elle désire vaincre, tuer son adversaire et meurt de sa victoire. Manuscrit A, 34 v.

*F*orce is born from violence and dies in liberty. It dies with such haste because it is so great. It consumes itself, furiously crushing that which dares oppose its wishes. It commands victory, the death of its adversaries, and dies from this victory. Manuscript A, 34 v.

Baroncelli fut pendu pour sa participation au meurtre de Julien de Médicis. Le châtiment des coupables devait être perpétué par une fresque. Léonard de Vinci, qui a quitté Verrochio et ouvert son propre atelier, espère obtenir la commande. D'où ce croquis macabre, assorti d'une description. Léonard s'inquiète de n'avoir encore produit aucune œuvre. Il a déjà 27 ans et songe à Masaccio, mort au même âge, après avoir révolutionné l'art de peindre.

Baroncelli was hanged for his part in the murder of Julien de Medici. The punishment of the guilty parties had to be immortalised in a fresco. Leonardo da Vinci, who had left Verrocchio to open his own workshop, wanted to gain the commission. Hence this macabre sketch which is accompanied by an account of the execution. Leonardo was concerned that he still had not produced any of his own works. He was already 27 years of age and haunted by thoughts of Masaccio who had died at the same age after having revolutionised the art of painting.

**EXÉCUTION DE BERNARDO DI BANDINO BARONCELLI, décembre 1479.**
Dessin à la plume.
**EXECUTION OF BERNARDO DI BANDINO BARONCELLI, December 1479.**
Pen and ink drawing.

*euvres fameuses, grâce auxquelles je pourrais montrer à la postérité que j'ai vécu.* Codex Atlanticus, 335 v. a

Cette *Adoration des Mages* est destinée aux moines de San Donato à Scopeto.
Dès sa première commande importante, Léonard de Vinci n'hésite pas
à abandonner le schéma traditionnel pour innover radicalement.
Pour construire son tableau et rendre l'effet de troisième dimension (volume),
il intègre les réflexions de ses contemporains (Alberti, Brunelleschi) sur la perspective,
en particulier la notion de ligne d'horizon et celle de point de fuite
(bien tracée sur ce dessin). Il y ajoute la contrainte d'une construction géométrique,
symbole d'une recherche de perfection absolue.

*reat works through which I could show all succeeding generations that I have lived.* Codex Atlanticus, 335 v. a

This *Adoration of the Magi* was destined for the monks of San Donato at Scopeto.
Since receiving his first major commission, Leonardo da Vinci had not hesitated
in abandoning the traditional schema in order to innovate radically.
To construct his paintings and to render the effect of the third dimension (depth),
he integrated the reflections of his contemporaries (Alberti, Brunelleschi) on perspective,
in particular the notion of the horizon line and the vanishing point
(which are clearly traced in this drawing). He in turn added the boundaries
of geometrical constructions, evidence of research of the highest calibre.

**ÉTUDE DE PERSPECTIVE POUR *L'ADORATION DES MAGES*, vers 1481.**
Dessin à la plume et lavis sur esquisse à la pointe de métal.
**STUDY OF PERSPECTIVE FOR *THE ADORATION OF THE MAGI*, circa 1481.**
Pen and ink and wash paint drawing on a metal-point sketch.

*Jadis, au nord de Milan, vers le lac Majeur, j'ai vu un nuage en forme de très grande montagne émaillé de traînées enflammées, car les rayons du soleil rougeoyaient à l'horizon et le teintaient de sa couleur. Ce si grand nuage demeurait immobile et son sommet irradiait encore la lumière du soleil, une heure et demie après son coucher, tant sa taille était immense.* Codex Leicester, 28 r.

Léonard de Vinci a trente ans quand il arrive à Milan en 1482. Il va y ouvrir un atelier et travailler pour Ludovic Sforza, qui gouverne la ville au nom de son neveu mineur, de la même façon que Verrochio travaillait pour les Médicis. A l'abri des soucis matériels, suffisamment libre de son temps pour se livrer à ses recherches personnelles, Léonard se trouvera si bien à Milan qu'il y restera dix-sept ans, dix-sept années qui sont sans doute les plus heureuses de sa vie, celles de son plein épanouissement.

12

*A long time ago, to the north of Milan, towards Lake Maggiore, I saw a cloud in the shape of a mountain emblazoned with flaming streaks, for the sunbeams took on a reddish hue on the horizon and tinged the cloud with their colour. This great cloud did not move from its position and its summit was still radiating the light of the sun an hour and a half after sunset, so immense was its height.* Codex Leicester, 28 r.

Leonardo da Vinci was 30 by the time he arrived in Milan in 1482. He was to open a studio there and to work for Ludovico Sforza, who governed the town by authority to his young nephew, a post similar to that of Verrocchio who worked for the Medicis. Free from material worries and with enough free time to devote to his personal research, Leonardo felt so comfortable in Milan that he was to remain there for 17 years; 17 years which were beyond a doubt the happiest of his life: the years of his development into a great artist.

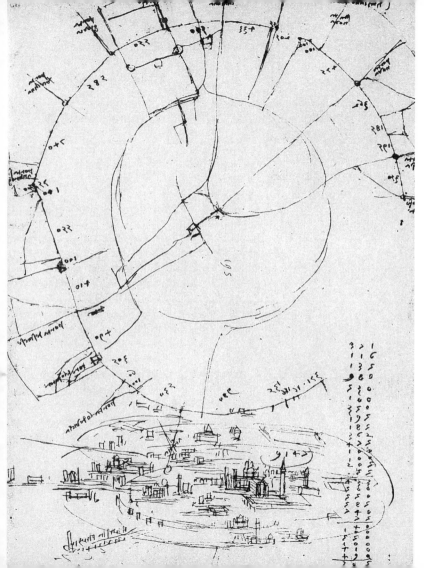

**PLAN DE MILAN ET ESQUISSE POUR LE DÔME,**
**vers 1488.**
Dessins à la plume.
**MAP OF MILAN AND PRELIMINARY SKETCH FOR**
**THE CATHEDRAL, circa 1488.**
Pen and ink drawings.

*Le noiraud florentin de messire Mariolo : gros cheval, à la belle encolure et à la tête fort belle.*
*L'étalon blanc du fauconnier : une belle croupe, se trouve à la porte de Côme.*
*Gros cheval de Crémone du sieur Giulio.* Forster, III 882

*The black stallion of Master Mariolo: A great horse with a beautiful neck and a most beautiful head.*
*The falkener's white stallion: A beautiful croup, stands at the Porta Comasina.*
*The great Cremonian horse of Master Giulio.* Forster, III 882

**14**

Ludovic Sforza souhaitait élever une gigantesque statue équestre de son père, fondateur de la très récente dynastie milanaise. Dès son arrivée dans la ville et tout au long de son séjour, Léonard de Vinci travaille au projet. La difficulté n'est pas dans le dessin (pour lequel, fidèle à ses habitudes, il cherche des modèles), mais dans la fonte de cet énorme bloc de métal. Léonard invente de nouveaux procédés de coulage. Mais, en 1494, éclate la guerre contre Naples. Ludovic Sforza a désormais bien d'autres soucis que la sculpture. Les 72 tonnes de bronze destinées au « cavallo » servent à faire des canons et le projet de statue est définitivement abandonné.

Ludovico Sforza had the intention of erecting a gigantic equestrian statue of his father, the founder of the recent Milanese dynasty. From his arrival in the town and for the entirety of his stay there, Leonardo da Vinci worked on the project. The difficulty was not to be found in the design (for which, true to his character, he looked for models), but in the casting of this enormous piece of metal. Leonardo invented new methods of casting. In 1494, however, the war against Naples broke out, and Ludovico Sforza had far more important things on his mind than sculptures. The 72 tonnes of bronze which were destined for the 'cavallo' went into the manufacture of canons and the statue project was abandoned for good.

**CAVALIER PIÉTINANT UN ENNEMI, vers 1485.** Pointe d'argent sur fond bleu.
**CAVALRYMAN TRAMPLING ON AN ENEMY, circa 1485.** Silver-point drawing on a blue background.

·114·

La ville devra être construite près de la mer ou d'un cours d'eau important, afin que les ordures de la ville soient emmenées par l'eau et emportées au loin. Chaque arcade devra disposer d'un escalier en colimaçon car on urine et on... dans les escaliers carrés. Et par cet escalier on pourra descendre de la rue haute à la rue basse. (...) Ceux qui désirent traverser toute la ville par les rues hautes pourront les emprunter à leur guise ; de même pour les rues basses. Il ne faut pas que les charrettes ou les véhicules similaires circulent sur les rues hautes, qui doivent être réservées aux nobles. Les charrettes et autres charrois nécessaires aux gens du peuple doivent circuler sur les rues basses Chaque maison doit tourner le dos à l'autre, en laissant la rue devant les portes. Manuscrit B, 15 v. et 16 r.

L'épidémie de peste qui dépeuple Milan à partir de 1484 va inciter Léonard de Vinci à tracer les plans d'une ville idéale, fonctionnelle et respectant les règles de l'hygiène. Il suggère également d'inciter les riches citoyens des cités alliées à acheter les maisons nouvellement bâties pour les habiter ou les louer. Le capital ainsi investi assurera leur fidélité. C'est mettre en lumière une idée très neuve : la dépendance qu'implique la propriété et le rôle important que pourrait jouer ce facteur dans le jeu subtil des alliances qui régissent alors la politique italienne.

16

The town shall have to be built near to the sea or an important waterway, in order that the town's waste be carried away by the water and taken far away. Every archway shall have a spiral staircase for one urinates and ... in square staircases. And by this staircase it shall be possible to descend from the upper road to the lower road (...). Those who wish to go through the whole town by the upper roads shall be able to take them as they please; the same for the lower roads. It must not be the case that carts and similar vehicles pass along the upper roads, which must be reserved for the nobility. Carts and other cartages essential to the common people must pass along the lower roads. Each house must have its back to the next one, so that the doors are left open to the road. Manuscript B, 15 v. et 16 r.

The plague epidemic which depopulated Milan from 1483 onwards was to prompt Leonardo da Vinci to design the plans for an ideal town which was functional and which conformed to all codes of hygiene. He also put forward a move to encourage the rich citizens of the surrounding towns to buy newly constructed houses to live in or to rent out. Once invested, the capital would secure their loyalty. This was the expression of a very modern concept: the dependency that accompanies property ownership and the major role that this factor could pay in the sly game of alliance which governed Italian politics at that time.

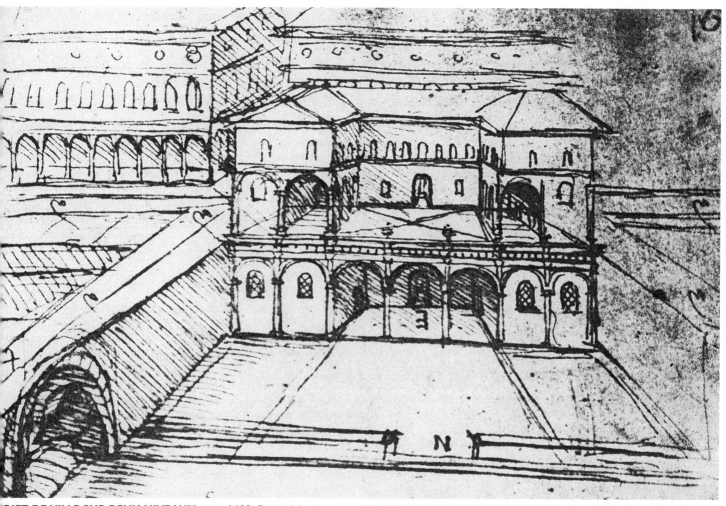

OJET DE VILLE SUR DEUX NIVEAUX, vers 1488. Dessin à la plume.   DRAFT OF A TOWN ON TWO LEVELS, circa 1488. Pen and ink drawing.

*Au cas où tu voudrais faire un feu à l'intérieur d'une pièce sans provoquer de dommages, tu procéderas ainsi : parfume d'abord cette pièce avec une fumée épaisse d'encens ou d'un autre produit balsamique, puis souffle dessus et tu feras bouillir dix litres d'eau-de-vie jusqu'à ce qu'elle se transforme en vapeur. Fais attention que la pièce soit bien fermée. Jette de la poudre de vernis qui restera en suspension au-dessus de cette fumée. Ensuite entre avec une torche allumée et tout s'enflammera subitement.* Forster, 143 r.

Tout en peignant *La Vierge aux Rochers* ou *La Cène*, tout en se consacrant à ses expériences scientifiques, Léonard de Vinci réalise pour le maître de Milan d'innombrables travaux dans les domaines les plus variés : depuis la tuyauterie du « bain de la duchesse » jusqu'à des costumes et des décors destinés aux nombreuses fêtes données au palais, comme le « Bal des Planètes » dont l'ingénieux machinisme excite l'admiration de toute l'Europe. L'attention que Léonard porte à un problème ne tient pas à son importance, mais à la possibilité d'aboutir à une création harmonieuse sur les plans intellectuel et pratique.

*In case you should wish to light a fire inside a room without causing any damage, you will proceed in the following way: fill this room first of all with the aroma of thick incense smoke or some other balsamic product, then blow on it, and you will also boil 10 litres of brandy until it turns into a vapour. Make sure that the doors to the room are closed, and cast glazing-powder into the air, which will remain suspended above the smoke. Then enter the room with a lit torch and it will suddenly all go up in flames.* Forster, 143 r.

While painting *The Virgin of the Rocks* or *The Last Supper*, and while devoting himself to his scientific experiments, Leonardo da Vinci produced all kinds of works for the Duke of Milan, from the pipes of the Duchess's bath to the costumes and decorations for numerous feasts held in the palace: hence the 'Festival of Paradise', whose ingenious mechanisation was held in admiration throughout Europe. The attention that Leonardo gave to a problem had no relation to its importance, but rather to the possibility of achieving a harmonious creation, on both an intellectual and a practical plane.

19

**ADOLESCENT AVEC UNE LANCE,**
**COSTUME POUR UNE MASCARADE, époque incertaine.**
Pierre noire, encre et lavis.
**TEENAGER WITH SPEAR (MASQUERADE COSTUME),**
**date unknown.**
Ink, wash-paint, and black stone drawing.

*Giacomo vint habiter avec moi*
*le jour de la Sainte-Madeleine, en 1490 ;*
*il est âgé de dix ans.*

[En marge] : *Voleur, menteur, obstiné, glouton.*
Manuscrit C, 15 v.

*Giacomo came to live with me*
*on St. Madeleine's Day 1490;*
*he was 10 years of age.*

[In the margin]: *thief, liar, hothead, glutton.*
Manuscript C, 15 v.

Dans son atelier, Léonard de Vinci
s'entoure d'apprentis jeunes et beaux.
L'un d'eux intrigue particulièrement les Milanais.
Giacomo, surnommé Salai (démon) est,
de l'aveu même du maître,
un serviteur infidèle et un apprenti sans talent.
Néanmoins Léonard l'habille luxueusement
(drap d'argent et velours vert !),
dotera sa sœur et le couchera sur son testament.
Aujourd'hui encore les biographes du peintre s'interrogent
sur la nature de leurs rapports.

In his workshop, Leonardo da Vinci surrounded himself
with young and beautiful apprentices,
one of whom particularly intrigued the Milanese.
Giacomo, nicknamed Salai (demon) was,
on his master's own testimony,
an unfaithful servant and an untalented apprentice.
Nevertheless, Leonardo clothed him luxuriously
(in silver wool and green velvet!),
provided his sister with a dowry, and named him in his will.
To this day, his biographers are still questioning
the nature of their relationship.

**ÉTUDE POUR *LA CÈNE* ET ESQUISSE DU CHÂTEAU DES SFORZA, vers 1495.**
Sanguine et plume.
**STUDY FOR *THE LAST SUPPER*, AND SKETCH FOR THE SFORZA CASTLE, circa 1495.**
Red chalk and pen and ink drawing.

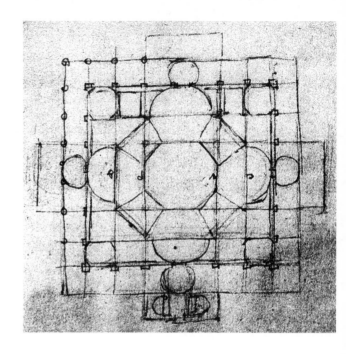

**ÉGLISE SUR PLAN CARRÉ, vers 1488.** Dessin à la plume.
**SQUARE PLAN OF A CHURCH, circa 1488.** Pen and ink drawing.

N ombreux sont ceux qui quitteront leurs
obligations et leur labeur, leur existence
*pauvre et démunie, pour aller habiter*
*dans les richesses et dans des palais triomphants,*
*voulant montrer que là réside le moyen*
*de devenir ami de Dieu.* Manuscrit C, 19 v.

Les écrits de Léonard de Vinci sont parsemés de louanges au Dieu qui a créé la beauté de la nature et le merveilleux mécanisme du monde et du corps humain. Il proclame aussi son respect des Livres Sacrés, « vérité suprême ». Mais il n'hésite pas, en revanche, à railler durement les richesses et les abus de pouvoir du clergé, influencé sans doute par les idées de réforme, alors largement répandues, de l'austère Savonarole.

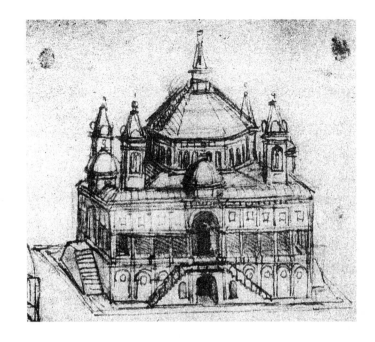

Numerous are they who will forsake their duties and their toil, who will leave their poor and destitute existence to live in richness and triumphant palaces in the hope of showing that therein lies the means of becoming a friend of God. Manuscript C, 19 v.

Leonardo da Vinci's papers are full of praise for God, creator of the beauty of nature and of the marvellous mechanism of the world and the human body. He also declared his respect for the Holy Books, for 'supreme truth'. He did not hesitate, however, in harshly criticising the wealth and the abuse of power of the clergy, influenced beyond a doubt by the proposals for reform of the austere Savonarola, proposals which were widely known at this time.

*On doit considérer comme très stupide la personne qui tient des propos manifestant sa confiance en la nécromancie (...) Cette nécromancie, étendard ou bien drapeau claquant au vent, guide la sotte multitude, qui témoigne sans cesse bruyamment des pouvoirs infinis d'une telle pratique. On a rempli des livres entiers de récits d'ensorcellements, affirmant en outre que les esprits agissent ou parlent sans langue et sans les instruments anatomiques indispensables ; qu'ils portent des poids très lourds, déclenchent des tempêtes et la pluie, transforment les hommes en chattes, en loups et autres animaux, même si ceux qui soutiennent de telles choses sont les premiers à entrer dans la peau d'une bête.*

Fogli B, 31

*One has to consider as very stupid the person who passes remarks demonstrating his confidence in necromancy. This necromancy, a standard or even a flag flapping in the wind, guides the foolish masses, who are constantly and vociferously testifying to the infinite powers of such a practice. Whole books have been filled confirming these bewitchments and the existence of spirits who move or speak without a tongue or the necessary anatomical instruments, and who can carry heavy weights, trigger storms and rain, turn men into cats, wolves or other animals, even if those who maintain such things are the first to ever enter the body of an animal.* Fogli B, 31

Aucune indulgence dans sa condamnation de la magie, alors très en vogue, bien que l'inventaire de sa bibliothèque (116 volumes en 1505, chiffre considérable pour l'époque) mentionne plusieurs ouvrages sur ce thème. Sans doute, Léonard, fidèle à sa méthode de tout vérifier par lui-même, a-t-il consciencieusement étudié ces « sciences » avant de les condamner.

No leniency was spared in his condemnation of magic, which was in vogue at this time, even if the inventory of his library (116 volumes in 1505, a considerable number for the time) included several works on this theme. It is without a doubt that Leonardo, true to his method of verifying everything himself, had conscientiously researched these 'sciences' before condemning them.

**ESQUISSE POUR UN ROI MAGE,
non datée.**
Pointe d'argent sur fond rouge
**SKETCH OF A WISE MAN,
undated.**
Silver-point drawing on a red
background.

*Je voudrais trouver des termes pour blâmer ceux qui veulent louer et adorer les hommes plus que le soleil, car il n'existe pas dans l'univers de corps de plus grande envergure et puissance que lui, dont l'éclat illumine tous les corps célestes qui évoluent dans l'univers. Toutes les âmes descendent de lui, car la chaleur qui se trouve dans les animaux vivants vient des âmes, et aucune autre chaleur ni lumière n'existe dans l'univers.* Manuscrit F, 5 r.

*I would like to find an expression to rebuke those who wish to praise and worship men more than the sun, for in the whole universe there exists no body of such great calibre or power as the sun, whose radiance illuminates all celestial bodies which evolve in the universe. Every soul is descended from it, for the warmth which is to be found in all living creatures comes from souls, and no other warmth or light exists in the universe.* Manuscript F, 5 r.

Le prêtre philosophe florentin Marsile Ficin (1433-1499) avait consacré sa vie à la recherche d'une synthèse entre christianisme et platonisme. Ses théories, dont Laurent de Médicis était un adepte enthousiaste, connaissaient une grande vogue. Il eut certainement une profonde influence sur Léonard de Vinci. Ficin fait du soleil un miroir, reflet de la divinité, assimilée à l'harmonie suprême (lumière et savoir). C'est par l'œil, « fenêtre de l'âme », que cette harmonie entre dans l'homme, pour en faire réellement l'image de Dieu. Contrairement à la conception médiévale, ce n'est plus d'abord la vertu qui rapproche de Dieu, mais la connaissance. Et le rôle de l'artiste, intermédiaire entre Dieu et l'homme, est de rendre sensible ce qu'il a contemplé.

The Florentine priest-philosopher Marsilio Ficino (1433-1499) had devoted his life to researching a synthesis between Christianity and Platonism. His theories, of which Laurent de Medici was an enthusiastic follower, were tremendously in vogue. He certainly exerted a profound influence on Leonardo da Vinci. Ficino saw the sun as a mirror, a reflection of divinity, comparable to 'supreme harmony' (of light and knowledge). It was through the eye, 'the window of the soul' that this harmony penetrated man in order to truly recreate the image of God. Contrary to the medieval notion, it was not virtue which brought a being closer to God, but consciousness. And the role of the artist, an intermediary between God and man, was to render his contemplations perceptible.

**ALLÉGORIE, vers 1494.**
Mine de plomb et encre.
**ALLEGORY, circa 1494.**
Black pencil and ink drawing.

*Voyant que je ne pouvais trouver une matière de grande utilité ou plaisir, car les hommes nés avant moi ont pris pour eux tous les thèmes utiles et nécessaires, je suivrai l'exemple de celui qui arrive le dernier à la foire en raison de sa pauvreté. Ne pouvant se fournir de rien d'autre, il prend toutes les choses que les autres ont déjà vues sans les accepter, et refusées en raison de leur faible valeur. Cette marchandise refusée et méprisée - reste de beaucoup d'acheteurs - je la mettrai sur mon misérable baluchon que j'irai distribuant, non point dans les grandes villes, mais dans les pauvres villages, recevant le prix qui convient à la chose que j'ai donnée.* Codex Atlanticus, 119 v. a

C'est à Milan que Léonard commence à noter, de façon plus ou moins suivie, les observations et résultats de ses expériences.
Le domaine des sciences à ses yeux nécessaires à l'ingénieur et au peintre (perspective, anatomie, étude du mouvement et des forces, balistique, architecture...) s'étend démesurément avec les années jusqu'à devenir l'ébauche d'une véritable encyclopédie des connaissances. Cette œuvre immense d'harmonisation du savoir à laquelle il rêve, Léonard ne pourra jamais l'achever, d'autant plus qu'il se refuse à faire œuvre de compilateur. Tout ce qu'il écrit, il l'a vérifié et expérimenté lui-même et ses conclusions vont souvent à l'encontre des croyances de l'époque. Ses intuitions géniales sont nées d'une curiosité universelle, servie par une volonté obstinée.

*Seeing that I was unable to find a subject of great use or pleasure, for those who have gone before me have taken for themselves all the useful and necessary themes, I will follow the example of the man who arrives last at the fair owing to his poverty. Unable to provide himself with anything else, he takes all those things that the others have already seen and rejected, having refused them on the grounds of their low value. This rejected and scorned merchandise - the leftovers of many buyers - I will place among my miserable belongings which I will distribute not only in the big towns, but also in the poor villages, receiving the price which the thing I have given merits.* Codex Atlanticus, 119 v. a

It was in Milan that Leonardo's more or less frequent recordings of the observations from and results of his experiments began, forming what are now his famous manuscripts. The field of science (perspective, anatomy, the study of movement and forces, ballistics and architecture), which to him was vital to the engineer and the painter, was inordinately elaborated over the years until it became the skeleton of a veritable encyclopaedia of knowledge. The immense work that he was dreaming of - the harmonisation of knowledge - was never to be achieved by Leonardo, all the more so because he refused to act as a compiler.
Everything he wrote he had verified and experimented himself, and his conclusions often ran counter to the accepted beliefs of the time. His inspired intuitions were born from a universal curiosity, aided by an obstinate willingness.

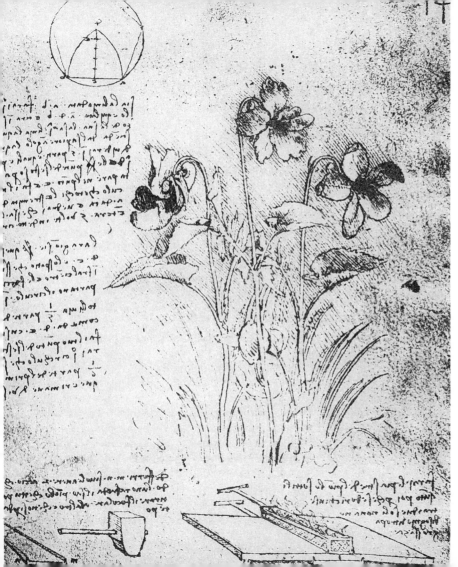

**29**

**ÉTUDE DE VIOLETTES
ET MÉTHODE DE SOUDAGE, vers 1487.**
Dessin à la plume.
**STUDY OF VIOLETS
AND WELDING METHODS, circa 1487.**
Pen and ink drawing.

*J e sais aussi concevoir des bombardes très maniables et faciles à transporter, qui pourront lancer de la pierraille comme de la grêle, dont le feu provoquera grande frayeur ainsi que grand dommage et confusion.* Codex Atlanticus, 391 r. a

Lorsque Léonard de Vinci arrive à Milan, il adresse ou projette d'adresser à Ludovic Sforza ce que nous appellerions aujourd'hui une lettre de candidature, dans laquelle il expose ses capacités d'ingénieur civil et militaire. Dans ce domaine, les manuscrits nous révèlent un Léonard soucieux d'automatisation, cherchant à donner à un seul homme la force et la puissance de plusieurs. Cet aspect de sa réflexion fait de lui un précurseur plus proche de l'époque moderne que de la sienne propre.

*J also know how to design bombards which are manageable and easy to transport and which could launch loose stones into the air like hailstones and whose fire will cause great fright as well as great damage and confusion.* Codex Atlanticus, 391 r. a

When Leonardo da Vinci arrived in Milan he sent, or planned to send, to Ludovico Sforza what we today call a letter of application, in which he stated his capacities as a civil engineer and serviceman. In relation to these capacities, his manuscripts reveal a Leonardo preoccupied by automation, looking to give to one man the power of several. This aspect of his thoughts made him a forerunner more of our modern times than of his own.

**BATAILLE NAVALE, vers 1485.** Dessin à la plume.   NAVAL BATTLE, circa 1485. Pen and ink drawing.

**HOMME COURANT DANS LE CIEL, 1473.** Dessin à la plume.  **MAN RUNNING IN THE SKY, 1473.** Pen and ink drawing.

*S ur le dos du mont Cygne, le grand oiseau*
*prendra son envol, suscitant une stupeur*
*universelle, propageant sa renommée*
*dans tous les écrits, et la gloire éternelle du nid*
*où il naquit.* Sul volo, couv. 2 r.

*F rom the back of Mount Ceceri, the great bird*
*will take flight, arousing a universal stupor*
*and spreading its renown to every piece of*
*writing and eternal glory to the nest where it*
*was born.* Sul volo, couv. 2 r.

Toute sa vie, Léonard de Vinci rêve de voler.
Vasari raconte qu'il achetait des oiseaux pour le plaisir
de les voir s'envoler. Pour lui, c'est l'image même de la liberté,
la poursuite d'un rêve d'enfant. De nombreuses pages
des manuscrits étudient le mécanisme de leurs ailes, qu'il cherchera
à reproduire dans ses premières machines volantes.
Lorsqu'il constate l'inanité des ses efforts,
il explore d'autres voies,
se rapprochant du principe de nos modernes hélicoptères.

All his life, Leonardo dreamt of flying.
Vasari told him that he would buy birds just for the pleasure
of watching them take off. For him, it was the very symbol
of liberty, the pursuit of a childhood dream. Numerous pages
of his manuscripts study their wing mechanisms, which he sought
to reproduce in his first flying machines.
When he noted the futility of his efforts,
he explored other channels,
coming close to the principal of our modern-day helicopters.

*Courant çà et là, en haut, en bas, l'eau ne s'accorde aucun répit, ni dans sa course, ni dans sa nature (...) Elle relie et agrandit les corps (...). Aucun élément plus léger ne peut la pénétrer sans violence (...). La chaleur la meut, le froid la congèle, la stagnation la corrompt. Elle s'imprègne de toutes les odeurs, couleurs et saveurs (...). Il n'existe pas de protection humaine qui puisse résister à sa fureur, et quand bien même il y en aurait une, elle ne serait que temporaire...* Codex Atlanticus, 171 r. et manuscrit C, 26 v.

*flowing hither and thither, up above and down below, the water does not take any respite, neither in its rapid course nor in its nature (...). It binds things and enlarges them (...). Anything lighter than it does not penetrate it without violence (...). Heat propels it, cold freezes it, stagnation contaminates it. It becomes impregnated with every odour, colour and flavour (...). No form of human protection exists that could resist its fury, and when there is indeed one, it will only be temporary.* Codex Atlanticus, 171 r. et Manuscript C, 26 v.

Les manuscrits sont remplis de descriptions de tempêtes, d'inondations, de déluges... Léonard de Vinci, qui se laisse si rarement aller à révéler ses sentiments intimes, se livre dans ses descriptions si tumultueuses et ses dessins, parfois presque surréalistes, de l'eau, si mystérieuse sous son apparence paisible cachant les émotions les plus violentes.

Le mouvement de l'eau fascine Léonard de Vinci qui la considère comme le « sang de la terre ». Toute sa vie, il cherche à réguler les fleuves (perfectionnement du mécanisme de fermeture des écluses), creuser des canaux (machines excavatrices), assécher des marais (drague flottante, pompes), pour rendre bénéfique aux hommes une force parfois meurtrière.

His manuscripts are filled with descriptions of thunderstorms, floods, deluges... Leonardo da Vinci, who so rarely permitted himself to reveal his intimate feelings, gave himself over to such turbulent descriptions and almost surreal drawings of the water, which was so mysterious beneath its peaceful exterior and which concealed the most violent of emotions.

The movement of water fascinated Leonardo da Vinci, who saw it as the 'blood of the Earth'. All his life he looked to ways to regulate the rivers (the perfecting of the mechanism for closing locks), to dig canals (mechanical diggers), and to drain marshes (floating dredges, pumps), in order to render a potentially lethal force into something beneficial to man.

**ARCHITECTURE ET EAU, vers 1488.**
Dessin à la plume.
**ARCHITECTURE AND WATER, circa 1488.**
Pen and ink drawing.

**ORAGE DANS LES ALPES, vers 1499.**
Sanguine.
**THUNDERSTORM IN THE ALPS, circa 1499.**
Red chalk drawing.

*Et si tu aimes cette chose, ton estomac t'en empêchera. Et s'il ne t'empêche pas, ce sera peut-être la peur de passer tes nuits en compagnie de ces morts dépecés et écorchés, si épouvantables à voir. Et si cela ne t'arrête pas, peut-être te manquera-t-il la justesse du dessin, nécessaire à une telle représentation. Et si elle s'y joint, c'est l'ordre des démonstrations géométriques, celui du calcul des forces et de la tonicité des muscles qui te fera défaut ; ou bien tu pourras manquer de patience et n'être pas assidu. Quant à savoir si j'ai eu ou non toutes ces choses, les 120 livres que j'ai composés donneront la réponse.* Quaderni I, 13 v.

Voyage dans les airs, voyage au fond des eaux…
voyage aussi au plus profond du corps humain que le peintre
doit connaître pour le représenter dans sa vérité.
Bravant les préjugés de son temps, Léonard de Vinci dissèque
plus de trente cadavres et réalise 750 dessins
accompagnés d'observations et de commentaires.
S'ils n'étaient pas restés ignorés jusqu'à la fin du XVIII\(^e\) siècle,
ils auraient fait de Léonard un des pères de l'anatomie moderne.

*And if you love this thing, your stomach will stop you. And if your stomach does not stop you, it will perhaps be the fear of spending your nights in the company of these dismembered and flayed dead men, who are so appalling to the eye. And if that does not stop you, perhaps accuracy of drawing, vital to such a representation, will elude you. And if it does accompany it, it is the order of geometrical demonstrations, the order of the calculation of forces and the tone of muscles which you will lack; or you could even be lacking in patience and assiduity. As to knowing if I have had such things myself, the 120 books that I have composed will provide the answer.* Quaderni I, 13 v.

Voyages in the air, voyages to the bottom of the water…
voyages also into the depths of the human body, which the painter
must be acquainted with in order to make it true to life.
Braving the prejudices of his time, Leonardo da Vinci dissected
more than 30 bodies and produced 750 drawings
accompanied by observations and commentaries.
If they had not remained undiscovered until the end of the 18th Century,
they would have made of Leonardo one of the fathers of modern anatomy.

**PLANCHE D'ANATOMIE, vers 1510-1512.** Dessin à la plume.

**ANATOMY PLATE, circa 1510-1512.** Pen and ink drawing.

*La perspective est le guide et la porte, la bride et le timon de la peinture.*
Manuscrit G, 8 r. et manuscrit 2038, 13 r.

Les recherches de Léonard de Vinci sur les phénomènes optiques l'amènent à trancher une question qui avait passionné l'Antiquité et le Moyen Age, en démontrant que les rayons lumineux ont leur origine dans la chose vue et non dans l'œil. Il s'intéresse au perspectographe, qui permet au dessinateur de tracer sur une vitre transparente l'image en perspective de l'objet placé devant lui, selon les principes d'Alberti (*La Costruzione Legittima*, vers 1435).

Toutefois Léonard modifie les conclusions de ce dernier, en montrant que les images perspectives seraient plus proches de la réalité si on les projetait sur une surface concave semblable à celle de l'œil humain plutôt que sur une simple surface plane. Par ailleurs, le peintre arrive à la conclusion que ce sont les gradations de la lumière qui définissent relief et espace, plus que les couleurs et le contour des formes.

*Perspective is the guide and the door, the bride and the shaft of painting.*
Manuscript G, 8 r. et Manuscript 2038, 13 r.

Leonardo da Vinci's research into optical phenomena led him to resolve a question that had fascinated Antiquity and the Middle Ages, for he demonstrated that rays of light have their origins in the thing seen and not in the eye. He was interested in perspectography, which allowed the drawer to trace a perspective image onto a transparent window of the object placed before him, according to the principles of Alberti (*La Construzione legittima*, circa 1435). Leonardo modified the conclusions of Alberti, however, by showing that perspective images would be closer to reality if they were projected onto a concave surface similar to that of the human eye rather than onto a simple flat surface. Furthermore, the painter arrived at the conclusion that it was the gradations of light which defined depth and space, more so than colours or the contours of shapes.

**PERSPECTOGRAPHE.**
**PERSPECTOGRAPH.**

*Celui qui néglige la certitude suprême des mathématiques, se nourrit de confusion et ne réduira jamais au silence les contradictions des sciences sophistiques, lesquelles enseignent de perpétuelles controverses.* Quaderni II, 14 r.

*He who neglects the supreme certitude of mathematics thrives on confusion and will never reduce to silence the contradictions of sophisticated sciences, which instil eternal controversies.* Quaderni II, 14 r.

40

Fra Luca Pacioli arrive à Milan vers 1496.
C'est un mathématicien réputé. Entre Léonard de Vinci et celui qu'il appellera « maestro Luca »,
c'est tout de suite la fascination, très vite l'amitié.
Les manuscrits se remplissent de formules algébriques et de figures géométriques.
Et Pacioli écrit le fameux traité
(d'où naîtront les théories postérieures sur le nombre d'or),
De *Divina Proportione*, illustré par « le dignissime peintre,
projecteur, architecte, musicien et doté de toutes les vertus,
Leonardo da Vinci, florentin ».

Lucas Pacioli arrived in Milan around 1496.
He was a mathematician of some repute. Leonardo da Vinci and the man he was to call 'Maestro Luca' were immediately enthralled by each other and they rapidly became friends.
His manuscripts filled up with algebraic formulae and geometric figures,
and Pacioli wrote his famous treatise *Divina Proportione*
(which inspired his subsequent theories on Golden Selection),
illustrated by the "most dignified painter,
project manager, architect, paragon of virtue,
Leonardo da Vinci, from Florence".

DUODECEDRON ELEVA
TUS VACUUS.

**DODÉCAÈDRE, vers 1496.**
Gravé d'après un dessin.
**DODECAHEDRON, circa 1496.**
Etched from a drawing.

*Chaque branche porteuse de fruit commence à la naissance de la feuille qui lui sert de mère en orientant vers elle l'eau des pluies et l'humidité de la rosée de la nuit, et souvent lui enlève les chaleurs excessives des rayons du soleil.* Manuscrit G, 33 v.

*Every branch which bears fruit begins life at the birth of the leaf which serves as its mother by directing to it the water from the rains and the dampness of the evening dew, and by frequently relieving it of the excessive heat of the rays of the sun.* Manuscript G, 33 v.

42

C'est une plante bulbeuse, de la famille des liliacées, à fleurs jaunes, orangées ou blanches. Les premiers dessins de plantes de Léonard de Vinci naissent de recherches pour différents tableaux, d'autres s'associent à ses études d'anatomie (« toutes les graines ont un cordon ombilical qui se rompt quand la graine est mûre »). Finalement, Léonard esquisse un véritable traité de botanique. Il s'intéresse également à la géologie et à la paléontologie, s'interrogeant sur la présence de fossiles d'animaux marins au sommet des montagnes.

A bulbous plant of the Liliaceae family with yellow, orange and white flowers. Leonardo da Vinci's first drawings of plants stemmed from his research for different paintings, others formed a part of his anatomical studies. ('Each seed has an umbilical cord which snaps when the seed is mature'). Eventually, Leonardo drafted a real botanical treatise. He was also interested in geology and palaeontology, deliberating on the presence of fossils of sea-animals on the tops of mountains.

**ORNITHOGALE OU ÉTOILE DE BETHLÉEM, vers 1505.**
Sanguine et plume.

**ORNITHOGALUM UMBELLATUM, OR STAR OF BETHLEHEM, circa 1505.** Red chalk and ink drawing.

Au Devadar de Syrie,
représentant du Sultan sacré de Babylone.
Me trouvant dans ces contrées d'Arménie pour mener à bien avec amour et application cette mission pour laquelle tu m'as envoyé, je suis entré dans la ville de Calindra, proche de nos frontières. Cette ville est située dans cette partie du Taurus arrosée par l'Euphrate et donne vers les cornes du mont Taurus du côté du couchant. Ces cornes sont si élevées qu'elles semblent atteindre le ciel, et dans tout l'univers, il n'existe pas de terre plus haute que son sommet. Sa pierre extrêmement blanche resplendit à tel point qu'il représente pour les Arméniens comme un beau clair de lune au milieu des ténèbres. Codex Atlanticus, 145 v. a

Parmi les pages les moins connues des manuscrits se trouve la relation d'un extraordinaire voyage en Orient, écrite sous forme de lettres. Certes les récits de Marco Polo ont aiguisé la curiosité et la mode est déjà aux « turqueries ». Mais le style de Léonard de Vinci est si convaincant que plusieurs de ses biographes ont cru qu'il s'était réellement rendu en Syrie ou en Arménie.

44

To the Devadar of Syria,
Representative of the Holy Sultan of Babylon.
Finding myself in these lands of Armenia to lovingly and carefully perform the mission for which you have sent me here, I entered the town of Calindra, close to our borders. This town is located in the part of Taurus watered by the Euphrates and looks towards the peaks of Mount Taurus to the west. These peaks are so high they seem to touch the sky, and in the whole of the universe there exists no land higher than its summit. Its exceedingly white stone is so resplendent that it represents for the Armenians a beautiful ray of moonlight amidst the gloom. Codex Atlanticus, 145 v. a

In the least known pages of his manuscripts the accounts of an extraordinary voyage to the Orient can be found, written in the form of letters. The stories of Marco Polo had certainly aroused his curiosity and the fashion was certainly for 'Turkism'. The style of Leonardo da Vinci, however, is so convincing that many of his biographers believed he had really been to Syria or Armenia.

**ÉTUDE DE MONTAGNES, vers 1511.**
Sanguine sur fond rouge.

**SKETCH OF MOUNTAINS, circa 1511.**
Red chalk drawing on a reddish background.

L à où entre la fortune,
la jalousie met le siège
et s'acharne, et laisse en partant
douleur et repentir.
Codex Atlanticus, 76 v. a

W here fortune enters,
jealousy lays siege and
torments, and where it departs,
it leaves pain and repentance.
Codex Atlanticus, 76 v. a

46

Cette allégorie,
un bateau dirigé par un loup
(ou un ours)
se dirigeant vers un aigle couronné
debout sur un globe,
n'a jamais été bien comprise.
Les manuscrits contiennent
tout un bestiaire, extrait sans doute
d'un traité médiéval,
récapitulant les symboles
des différents animaux que le peintre
devait être capable de placer
à bon escient dans ses tableaux
pour exprimer le caractère
ou les sentiments de ses modèles.

This allegory,
a boat being navigated by a wolf
(or a bear)
making its way towards a crowned eagle
standing on a globe,
has never really been understood.
The manuscripts contain
a whole bestiary (an extract
from a medieval treatise, no doubt)
which recapitulates the symbols
for different animals which the painter
had to be able to place
advisedly in his paintings
in order to express the character
or the feelings of his models.

**ALLÉGORIE, vers 1510.**
Sanguine sur papier brun.
**ALLEGORY, circa 1510.**
Red chalk drawing on brown paper.

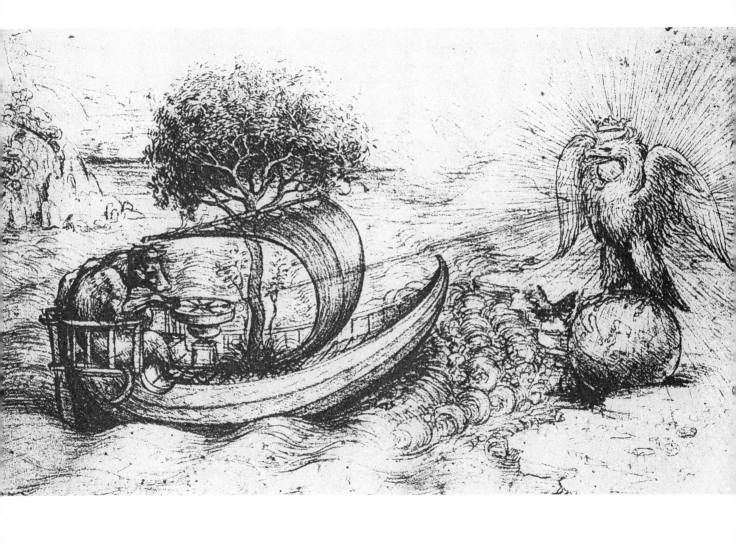

*Tu feras les figures de façon à exprimer ce que ces figures ont dans leur esprit ; sinon ton art ne sera point digne d'éloges.* Manuscrit 2038, 20 r.

Léonard de Vinci
recommande aux peintres
d'établir un classement
des différents types de nez,
bouches, mentons, yeux, etc.,
de façon à pouvoir ensuite
reproduire facilement,
en les combinant,

n'importe quel visage.
De la même manière,
les grotesques,
par l'exagération de leurs grimaces,
l'aident à établir
un « fichier » d'expressions
permettant de traduire
les différents états d'esprit.

*You will draw figures in such a way as to express the spiritual essence of these figures; otherwise your art will not be deserving of praise at all.* Manuscript 2038, 20 r.

Leonardo da Vinci
advised painters
to categorise
different types of noses,
mouths, chins, eyes, etc.,
so that they would later be able
to combine them
and readily reproduce

any kind of face whatsoever.
In the same way,
the exaggerated grimaces
of grotesques
helped him to establish a 'catalogue'
of expressions
which permitted him to convey many
different states of mind.

**CINQ FIGURES GROTESQUES, vers 1490.** Dessin à la plume.    **FIVE GROTESQUE FIGURES, circa 1490.** Pen and ink drawing.

*Vous avez placé la peinture parmi les arts mécaniques. Or, si les peintres pouvaient, comme vous, faire par écrit l'éloge de leurs œuvres, je crois bien qu'une telle appellation n'aurait plus de raison d'être.*
Manuscrit 2038, 19 v.

50

Pour Léonard de Vinci, la beauté doit être recherchée dans l'imitation de la nature et si la peinture est supérieure aux autres arts, c'est parce qu'elle permet d'atteindre la ressemblance la plus parfaite. Le peintre étudie les sciences pour connaître les lois de l'univers. Le mouvement du pinceau doit donc être assimilé à celui de la plume et la peinture mérite d'être comptée au rang des arts libéraux. Lorsqu'il peint, Léonard s'entoure d'une atmosphère luxueuse et raffinée, de compagnons choisis pour leur beauté, de musiciens... Par cette sorte de cour, qui rappelle celle d'un puissant personnage, il réclame pour le peintre une position sociale qu'aucun d'entre eux n'avait revendiquée jusque-là.

*You have decreed that painting be placed among the mechanical arts, but if painters, like you, were able to praise their work in writing, then I fully believe that such a term would have no grounds for existence.* Manuscript 2038, 19 v.

Leonardo da Vinci believed that beauty was to be sought in the imitation of nature, and if painting was superior to all other arts, then it was because it permitted the painter to achieve the most perfect likeness possible. The painter studied the sciences in order to understand the laws of the universe. The movement of the brush had therefore to be classed alongside that of the pen, and painting had every right to be ranked among the liberal arts. When painting, Leonardo surrounded himself with a luxurious and refined atmosphere, with companions picked for their beauty, with musicians … Through this sort of lifestyle, with its allusions to the most powerful of courts, he claimed for painting a social standing that had been claimed by no other painter before.

**ÉTUDE POUR L'ANGE DE** *LA VIERGE AUX ROCHERS*, **vers 1483.**
Pointe d'argent et rehauts blancs sur fond brun.
**STUDY FOR THE ANGEL OF** *THE VIRGIN OF THE ROCKS*,
**circa 1483.**
Silver point drawing with white enhancements on a brown background.

*our conserver le don principal de la nature, c'est-à-dire la liberté, je sais comment attaquer et défendre, en cas de sièges par les ambitieux tyrans.* Manuscrit 2037, 10 r.

Octobre 1499 : Ludovic Sforza est en fuite, le roi de France entre dans Milan en triomphateur. Léonard de Vinci quitte la ville en décembre avec son cher Salai. En même temps que le siècle, une époque de sa vie s'achève. Il lui faut désormais chercher un nouveau protecteur. Après des séjours à Mantoue, Venise et Florence, il pense l'avoir trouvé en la personne de César Borgia, qui fait de lui son ingénieur militaire et lui confie la mission d'inspecter et d'améliorer au besoin ses forteresses d'Italie centrale. Léonard prend la route et dessine de nombreux croquis de places fortes qui préfigurent celles bâties deux siècles plus tard par Vauban.

*n the event of a siege by ambitious tyrants, I have discovered the means to offend and defend in order to preserve the principal gift of nature - liberty.* Manuscript 2037, 10 r.

October 1499: Ludovico Sforza had fled, and the King of France had entered Milan as its triumphant victor. Leonardo da Vinci left the town with his darling Salai. As the century drew to a close, a period of his life also came to an end. He was to have to look for a new guardian, and after sojourns in Mantua, Venice and Florence, he thought he had found one in the name of Cesare Borgia, who engaged him as his military engineer and who entrusted to him the mission of inspecting and, when necessary, improving on his fortresses in central Italy. Leonardo set off and drew numerous sketches of fortified towns, prefiguring those constructed by Vauban two centuries later.

**CHÂTEAU SUR PLAN CARRÉ, vers 1500.** Dessin à la plume.

**SQUARE-PLANNED CASTLE, circa 1500.** Pen and ink drawing.

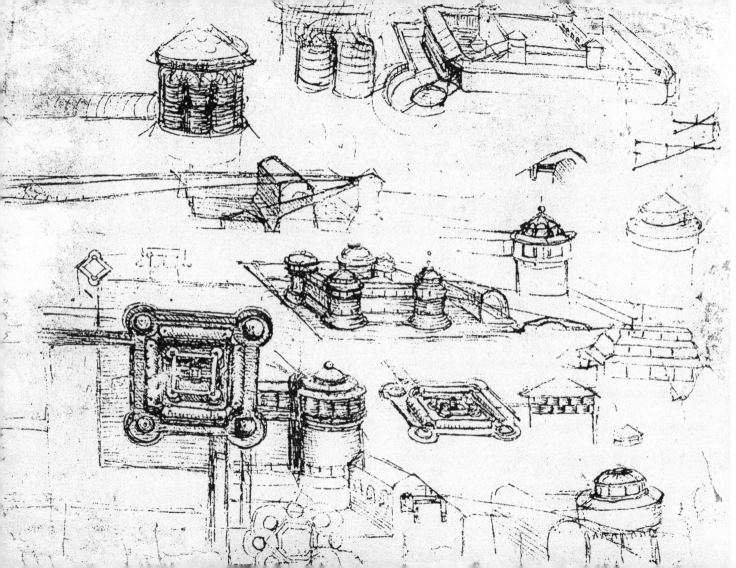

**P**ont de Pera à Constantinople.
Largeur quarante brasses ;
hauteur soixante-dix brasses au-dessus de l'eau ;
longueur six cents brasses,
dont quatre cents au-dessus de la mer et
deux cents sur la terre ferme. Manuscrit L, 66 r.

**P**era Bridge in Constantinople.
40 fathoms in width;
70 fathoms in height above the water;
600 fathoms in length,
400 of which above the water,
and 200 of which on dry land. Manuscript L, 66 r.

A la cour de César Borgia, Léonard de Vinci rencontre les ambassadeurs du sultan ottoman Bayezid II. Il songe très sérieusement à leur offrir ses services. Dans les archives du palais de Topkapi à Istanbul, on a retrouvé la traduction d'une lettre « d'un infidèle nommé Léonard », relative à des projets de construction de pompes et de moulins à vent ; surtout, l'ingénieur propose la construction d'un pont (une seule arche colossale de 240 mètres de long) sur la Corne d'Or, pour relier le vieux Constantinople au faubourg de Pera où vivent ambassadeurs et marchands européens. Le sultan ne donne aucune suite à cette proposition et le premier pont ne sera finalement construit qu'en 1836.

At Cesare Borgia's court, Leonardo da Vinci met the ambassadors to the Ottoman Sultan, Bayezid II, and seriously contemplated offering them his services. In the archives of the Topkapi Palace in Istanbul, the translation of a letter from an 'infidel named Leonardo' has been found, which relates to his projects for the construction of pumps and windmills, and which, above all else, proposes the construction of a bridge (of one single colossal arch measuring 240 metres in length) over the Golden Horn to link old Constantinople to the suburb of Pera, the residence of ambassadors and European tradesmen. The Sultan took no action concerning the letter and it was not until 1836 that the first bridge was finally constructed.

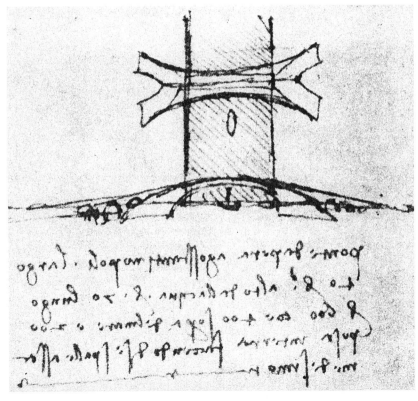

**SCHÉMA POUR UN PONT
SUR LA CORNE D'OR,
vers 1502.**
Dessin à la plume retourné.

**SKETCH FOR A BRIDGE
OVER THE GOLDEN HORN,
circa 1502.**
Drawing made with
the wrong end of the quill.

*Comment doit-on représenter une bataille. Tu feras d'abord apparaître dans l'air la fumée de l'artillerie mêlée à la poussière rouge soulevée par le mouvement des chevaux des combattants. (...) Tu feras rougeoyer les visages, les personnes et l'air, à proximité des arquebusiers (...). Tu feras des vainqueurs qui courent, cheveux flottant au vent. (...) Tu feras en sorte que certains chevaux traînent leur maître mort, en laissant derrière sur la poussière et la boue, la trace du corps traîné. (...) Tu feras pâles les perdants et les battus. (...) D'autres, mourant, devront serrer les dents, rouler les yeux, fermer les poings et auront les jambes tordues.* Manuscrit 2038, 30 v.

*How to depict a battle: First of all you will fill the air with the smoke from the artillery mixed in with the red dust stirred up by the movement of the fighting horses (. . .). To the faces, the people and the air in the vicinity of the harquebuisiers, you will give a reddish hue (. . .). You will make the running victors, the hairs flutter in the wind (. . .). You will see to it that certain horses trail their dead masters, leaving behind in the dust and the mud the marks of the trailed body (. . .). You will make the losers and the beaten pale (. . .). Others, dying, will clench their teeth, roll their eyes, close their fists and will have crooked legs.* Manuscript 2038, 30 v.

En 1503, Léonard de Vinci revient à Florence, alors en guerre avec Pise. La petite cité a profité des bouleversements causés par les expéditions françaises en Italie pour reconquérir son indépendance. Fort de son expérience d'ingénieur militaire, Léonard réfléchit à un projet de canalisation de l'Arno. Dans son esprit, la création d'une voie navigable entre Florence et la mer augmentera la richesse en facilitant les échanges entre les cités riveraines et mettra ainsi définitivement fin aux hostilités. Après quelques essais, les difficultés pratiques feront abandonner ce projet pour en revenir à des méthodes militaires et diplomatiques plus traditionnelles. Quant à Léonard, il reprend ses pinceaux pour se consacrer à une grande fresque héroïque, *La Bataille d'Anghiari*.

In 1503 Leonardo da Vinci returned to Florence, then at war with Pisa. The small town had profited from the disruption caused by the French expeditions in Italy to win back its independence. Fortified by his experience as a military engineer, Leonardo turned the project of the canalisation of the Arno around in his mind. To him, the creation of a waterway between Florence and the sea would increase wealth by facilitating exchanges between the towns alongside the canal, and would also put a definitive end to the hostilities. After several attempts, the practical difficulties of this project were to force it to be abandoned in order to return to more traditional military and diplomatic methods. As for Leonardo, he took up his brushes once again to devote himself to a great heroic fresco: *The Battle of Anghiari*.

**ÉTUDE DE GUERRIER POUR** *LA BATAILLE D'ANGHIARI*, **vers 1504.   STUDY OF A WARRIOR FOR** *THE BATTLE OF ANGHIARI*, **circa 1504.**

T*rès cher frère,*
*Je voulais simplement te faire savoir que je viens de recevoir une lettre de toi m'apprenant que tu avais un héritier, ce qui t'a procuré une joie extrême. Moi qui te considérais comme un homme avisé, il me semble maintenant que je suis aussi loin du discernement que toi de la sagesse. Car tu te réjouis d'avoir créé un ennemi tenace, qui cherchera par tous les moyens sa liberté qu'il n'obtiendra que par ta mort.* Codex Atlanticus, 202 v. a

Lorsque ser Piero, père de Léonard de Vinci, meurt le 9 juillet 1504, les demi-frères du bâtard s'entendent pour lui refuser sa part d'héritage. Quelques mois plus tard, l'oncle Francesco meurt à son tour, faisant du peintre son légataire universel. Derechef, neveux et nièces légitimes attaquent le testament.

Quatre ans de bataille juridique seront nécessaires à Léonard pour faire reconnaître ses droits. Cette attitude mesquine explique le sentiment de solitude qui étreint l'artiste et le scepticisme désabusé qui envahit les écrits de cette période.

M*y dear brother,*
*I simply wanted to notify you that I have just received a letter from you informing me that you have an heir, which has given you enormous joy. I, who considered you to be a wise man, feel now as far from discernment as you are from wisdom, for you rejoice in having created a persistent enemy who, by fair means or foul, will seek his own liberty, and which he will only obtain on your death.* Codex Atlanticus, 202 v. a

When Leonardo da Vinci's father, Ser Piero, died on the 9th July 1504, the bastard's two half-brothers joined forces to refuse him his share of the inheritance. Several months later, his uncle Francesco died as well, making the painter his sole legatee. Once more, legitimate nieces and nephews attested the will.

Four years of legal wranglings were to be necessary for Leonardo in order to have his rights recognised. This petty attitude explains the feeling of solitude which gripped the artist and the disillusioned scepticism which invaded his writings from this period.

**ÉTUDES POUR LE CHRIST ENFANT, vers 1508.** Sanguine.

**STUDIES FOR CHRIST CHILD, circa 1508.** Red chalk drawing.

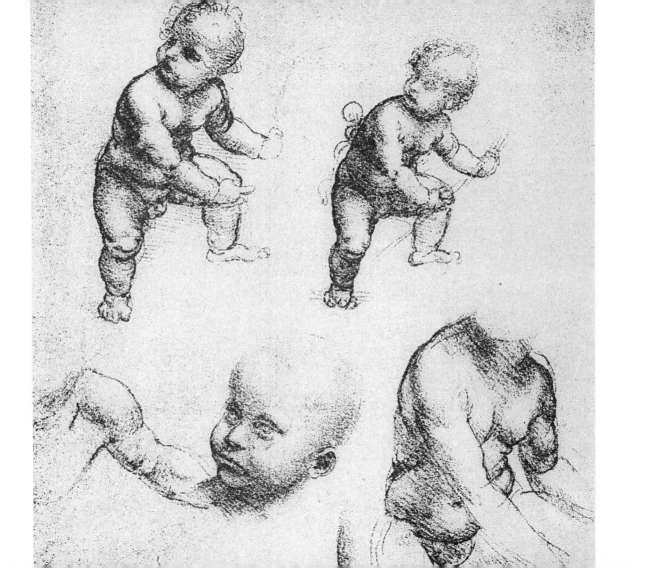

59

*Ces félins gardent leurs griffes au fourreau et ne les sortent que pour attaquer leur proie ou leur ennemi.*

Manuscrit H, 22 r.

*These cats keep their claws covered and only draw them to attack their prey or their enemy.*

Manuscript H, 22 r.

Querelles de famille, guerres incessantes et meurtrières entre les cités italiennes, expliquent le regard assez découragé que semble porter Léonard de Vinci sur l'espèce humaine. Pourtant il possédait, nous dit Vasari, « des chevaux qu'il aimait par-dessus tout et toutes sortes d'animaux qu'il gouvernait avec un amour infini ». Fait rare dans l'Europe de la Renaissance, Léonard était végétarien.

Family quarrels and unceasing and bloody wars between Italian towns explain the rather disheartened regard that Leonardo da Vinci seemed to have for the human race. Nevertheless, Vasari tells us that he did possess 'horses which he loved over and above any other sort of animal and which he disciplined with boundless love'. Leonardo da Vinci was also a vegetarian - a rare occurrence in the Europe of the Renaissance.

**ÉTUDES DE CHATS, vers 1513.**
Encre et lavis sur pierre noire.

**STUDIES OF CATS, circa 1513.**
Ink and wash-paint drawing on black stone.

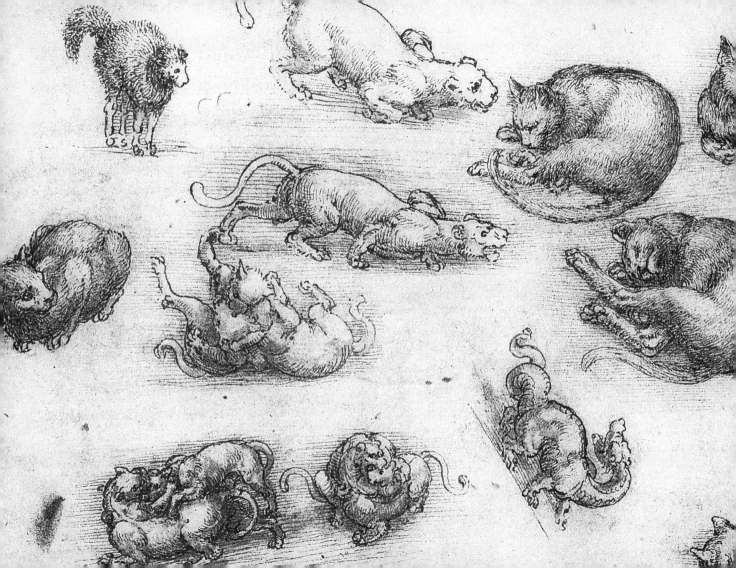

*E t toi homme, qui contemple dans mes*
*travaux les merveilles de la nature,*
*si tu estimes qu'il est criminel de les détruire,*
*pense ô combien il est plus abominable*
*de priver de sa vie l'homme.* Fogli A, 2 r.

*A nd you, man, who in my works gaze upon*
*the marvels of nature, if you deem that*
*it is criminal to destroy them, think how it is*
*oh so more abominable to deprive man of his life.*
Fogli A, 2 r.

62

Comment concilier les dessins de canons
ou le terrifiant char de guerre armé de faux, avec sa volonté
de ne pas révéler la conception de son scaphandre
« à cause de la malignité des hommes » ?
Comment comprendre cet artiste,
respectueux de la vie au point d'être végétarien et proposant
avec insistance sa candidature comme ingénieur militaire ?
Que penser de sa proposition au Sénat de Venise
de noyer l'armée turque sous les eaux de l'Isonzo,
suivie, deux ans après, d'offres de service au sultan ?

How can one conciliate the drawings of canons,
the terrifying chariot of war armed with scythes, with the concern
not to reveal the conception of his diving suit
'because of the malice of people'?
How can one comprehend the insistence of this artist,
so respectful of life to the point of being vegetarian,
to put himself forward as a military engineer?
What is one to think of his proposition to the Senate of Venice
to drown the Turkish army in the waters of the Isonzo,
followed two years later, by offers of service to the Sultan?

**PORTRAIT DE GUERRIER, vers 1480.**
Pointe d'argent sur fond ivoire.
**PORTRAIT OF A WARRIOR, circa 1480.**
Silver point drawing on an ivory background.

*O Temps, qui consumes les choses, ô passé jaloux, tu détruis toutes les choses et consumes toutes les choses peu à peu, sous l'effet des dents acérées de la vieillesse, par une lente mort. Hélène, quand elle contemplait son reflet, voyant les rides infligées par la vieillesse sur son visage flétri, pleure et se demande pourquoi deux fois elle fut enlevée. O temps, passé jaloux qui consume toutes choses.* Codex Atlanticus, 71 r. a

64

Depuis 1513, Léonard de Vinci est à Rome,
appelé par Julien de Médicis, neveu du Pape,
pour collaborer à l'assèchement des marais Pontins.
On le consulte aussi pour divers travaux, comme l'aménagement
du port de Civita-Vecchia. Mais tous ces projets, trop ambitieux,
seront abandonnés, à sa grande déception.
Le peintre n'a d'ailleurs pas plus de succès que l'ingénieur : il végète
sans commande alors qu'autour de lui ses jeunes confrères
Raphaël et Michel-Ange sont surchargés de besogne.
Des calomnies lui ont fermé les portes de l'hôpital
où il poursuivait ses expériences d'anatomie.
Cette période est la plus triste de la vie de Léonard.
Plein d'amertume, malade, il se moque à son tour des courtisans
du pape, en lâchant sur eux son dragon, un lézard affublé
d'une barbe, de cornes et d'ailes d'écailles recouvertes de vif-argent.

**DRAGON, vers 1515.** Encre et pierre noire.

*Oh time, how it consumes things, oh jealous past, how you destroy everything little by little through the sharp teeth of old age, through slow death. When Helen gazed upon her reflection and saw the lines placed on her withered face by old age, she cries and asks herself why she had twice been captured. Oh time, how it consumes things, and oh jealous past through which everything is consumed.* Codex Atlanticus, 71 r. a

From 1513 Leonardo da Vinci had been in Rome,
called there by Julien de Medici, the Pope's nephew,
in order to collaborate on the draining of the Pontine Marshes.
He was also consulted for various other jobs, like the conversion
of the port of Civitavecchia. To his great disappointment, however,
all of these far too ambitious projects were to be abandoned.
The painter had just as little success as the engineer: he stagnated
without commissions while all around him his fellow young artists
Raphael and Michaelangelo were overloaded with work.
Acts of slander had closed the doors to the hospital
where he had been carrying out his experiments in anatomy.
This was the saddest time in the life of Leonardo. Consumed by
bitterness and ill, he in turn poked fun at the sycophants
of the pope, letting loose on them his dragon, or his lizard sporting
a beard, horns and wings of shells covered in quicksilver.

**DRAGON, circa 1515.** Ink and black stone drawing.

**TÊTES DE MONSTRES.** Dessin à la plume.　　　　　**MONSTERS' HEADS.** Pen and ink drawing.

*Je continuerai*
*Le 24 juin 1518, à Amboise,*
*jour de la saint-Jean, dans le manoir de Cloux.*
Codex Atlanticus, 249 r.

*I shall continue :*
*The 24th of June 1518, in Amboise,*
*on St. John's Day, in the Palace of Cloux.*
Codex Atlanticus, 249 r.

En 1516, lorsque meurt Julien de Médicis, l'invitation du roi de France François Iᵉʳ va sauver Léonard d'une vieillesse désastreuse. A soixante ans passés, il rassemble une fois de plus ses bagages pour venir chercher de l'autre côté des Alpes le décor d'une nouvelle existence. Le roi l'installe au manoir de Cloux (aujourd'hui le Clos-Lucé), à côté du château d'Amboise où il fait lui-même de longs séjours. Paralysé d'un bras, le peintre ne peint plus, mais l'ingénieur architecte recommence à concevoir des décors de fêtes, les plans d'un canal de la Loire au Rhône, une cité idéale sur le site de Romorantin. Surtout le vieil homme philosophe avec le roi, met ses manuscrits en ordre, médite sur sa vie et se prépare à la mort...

In 1516, after the death of Julien de Medici, it was an invitation from the King of France, Francis I, that was to save Leonardo from a disastrous old age. At more than 60 years of age, he packed his bags once again in order to discover the scenery of a new existence on the other side of the Alps. The King set him up in the Palace of Cloux (now the Clos-Lucé) near to the Château d'Amboise, where he himself stayed for lengthy periods of time. Paralysed in one arm, the painter no longer painted, but the engineer and architect resumed their work through the designing of decorations for feasts, of the plans for a canal from the Loire to the Rhone, of an ideal town on the site of Romorantin. Above all else, the old man philosophised with the King, put his manuscripts into order, meditated on life and prepared himself for death.

**CHÂTEAU D'AMBOISE VU DU CLOS-LUCÉ, vers 1517.** Dessin à la plume.
**CHATEAU D'AMBOISE, SEEN FROM CLOS-LUCÉ, circa 1517.** Pen and ink drawing.

L a mémoire des bienfaits est fragile
auprès de l'ingratitude. Manuscrit H, 16 v.

T he memory of kindness is fragile
next to ingratitude. Manuscript H, 16 v.

**ÉTUDE POUR LES MAINS DE *GINEVRA BENCI*, vers 1480.**
Pointe d'argent sur fond rose.

**STUDY FOR THE HANDS OF *GINEVRA DE' BENCI*, circa 1480.**
Silver point drawing on a pink background.

70

*Celui qui n'aime pas la vie ne la mérite pas.*

Manuscrit I, 15 r.

*When I believe I am learning to live, I will learn to die.* Codex Atlanticus, 252 r. a

**MADONE ET ENFANT, vers 1478.**
Pointe d'argent et plume.
**MADONNA AND CHILD, circa 1478.**
Silver point and ink drawing.

*uand je croirai apprendre à vivre,*
*j'apprendrai à mourir.*

Codex Atlanticus, 252 r. a

*e who does not love life does not deserve it.*

Manuscript I, 15 r.

71

**DEUX PROFILS, vers 1478.**
Dessin à la plume.
**TWO PROFILES, circa 1478.**
Pen and ink drawings.

72

Tous les maux
laissent de l'amertume dans la mémoire,
sauf ce mal suprême qu'est la mort,
qui tue cette mémoire en même temps que la vie.

Manuscrit H, 33 v.

All pain leaves bitterness
behind in the memory,
except that supreme pain which is death,
and which kills this memory
at the same time as it kills life.

Manuscript H, 33 v.

**ÉTUDE POUR *LA BATAILLE D'ANGHIARI*, vers 1504.**
Sanguine.
**STUDY FOR *THE BATTLE OF ANGHIARI*, circa 1504.**
Red chalk drawing.

**ÉTUDE POUR *LÉDA*, vers 1504.**
Dessin à la plume sur pierre noire.
**STUDY FOR *LEDA*, circa 1504.**
Pen and ink drawing on black stone.

*Le souffle de divinité contenu dans l'art du peintre transfigure son esprit en reflet de l'esprit divin.* Codex Urbinas, 36 r.

*The breath of divinity contained in the art of the painter transfigures his spirit into the reflection of the divine spirit.* Codex Urbinas, 36 r.

Dans sa fresque de *L'École d'Athènes*, Raphaël a donné les traits de Léonard de Vinci à Platon, que la Renaissance considérait comme le plus grand des philosophes antiques.
La conception de l'univers de Platon, géométrique et unitaire, se rapproche en effet de celle de Léonard, qui toute sa vie fut à la fois philosophe, artiste et savant. La clé de cet harmonie sans cesse recréée se trouve dans le mouvement (du corps et de l'âme), régi par les mathématiques dont les lois gouvernent à la fois le macrocosme (l'univers) et le microcosme (l'être vivant).

In his fresco of *The School of Athens*, Raphael had given the traits of Leonardo da Vinci to Plato, the greatest ancient philosopher according to the Renaissance.
Plato's geometric and unitary conception of the universe can be compared to that of Leonardo da Vinci, who throughout his entire life was a philosopher, an artist, and a scientist at the same time. The key to this harmony, which was unceasingly recreated, lay in movement (of the body and the soul), governed by mathematics whose laws in turn governed both the macrocosmos (the universe) and the microcosmos (the human being).

**LES PROPORTIONS HUMAINES D'APRÈS VITRUVE, vers 1490.** Dessin à la plume.

**HUMAN PROPORTIONS, ADAPTED FROM VITRUVIUS, circa 1490.** Pen and ink drawing.

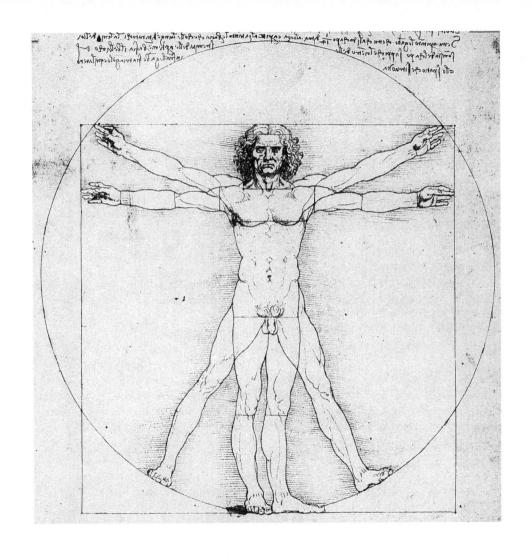

*Le mouvement est la cause de toute vie.* Manuscrit H, 141 (2 v) v.

Un des derniers dessins de Léonard de Vinci...
Je ne veux pas manquer de rapporter les propos
que m'adressa à son sujet le roi
(François Ier), en présence du cardinal de Lorraine
et du roi de Navarre. Il dit qu'il ne croyait pas

qu'il existât au monde un homme aussi savant
que Léonard, non seulement en sculpture, peinture
et architecture, mais aussi en philosophie,
où il se montrait remarquable.
Benvenuto Cellini

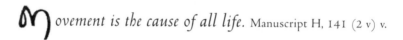

*Movement is the cause of all life.* Manuscript H, 141 (2 v) v.

One of the very last drawings by Leonardo da Vinci …
I do not wish to fail to report the remarks
that were addressed to me about him by the King
(Francis I), in the presence of the Cardinal of Lorraine
and the King of Navarra.  He said that he did not
believe it possible for a man as knowledgeable as

Leonardo da Vinci to exist in the world,
knowledgeable not only in sculpture, painting
and architecture, but also in philosophy,
where he proved himself to be outstanding.
Benvenuto Cellini

**TROIS FIGURES DANSANTES, 1519.** Dessin à la plume.　　　　　**THREE DANCING FIGURES, circa 1519.** Pen and ink drawing.

**1452.** Le 15 avril, à 22 h 30, naissance de Léonard, fils naturel de ser Piero da Vinci, notaire.

**1455.** Gutenberg invente la presse à imprimer.

**1456 (4 ans).** Une tornade ravage la vallée de l'Arno. Les scènes d'inondations qu'il voit alors sont sans doute à l'origine de la fascination de Léonard pour l'eau (cf. pages 34/35).

**1465-66 (13-14 ans).** Léonard arrive à Florence et entre en apprentissage dans l'atelier de Verrochio, qui a alors 30 ans.

**1469.** Laurent de Médicis, âgé de vingt ans, prend le pouvoir à Florence. Il sera appelé « le Magnifique », à cause de sa générosité envers les artistes.

**1471.** Le 27 mai, mise en place de la boule de bronze qui doit surmonter la lanterne du duomo de Florence. L'atelier de Verrochio y travaille depuis quatre ans : c'est le premier ouvrage, mêlant art et technique, dont Léonard aura suivi l'exécution de bout en bout.

**1472 (20 ans).** Le 21 juin, inscription sur le livre de la guilde des peintres de « Leonardo di ser Piero da Vinci, dipintore ». Léonard continue néanmoins à travailler avec son maître. Ils peignent ensemble *Le Baptême du Christ*.

**1473.** Le 5 août, premier dessin daté de Léonard (cf. page 5).

**1474/75.** Il peint l'*Annonciation* du musée des Offices.

**Vers 1477 (25 ans).** Léonard de Vinci s'installe à son compte. Il peint le portrait de *Ginevra Benci* (cf. page 69)

**1478.** Le 26 avril, éclate une conjuration montée par la famille Pazzi, banquiers rivaux des Médicis. Julien, frère de Laurent, est assassiné (cf. page 9).

**Vers 1480.** Léonard commence le *Saint Jérôme*, resté inachevé.

**Mars 1481.** Contrat pour *L'Adoration des Mages*, qui restera inachevée (cf. page 11).

**1482 (30 ans).** Léonard arrive à Milan et offre à Ludovic Sforza, gouverneur de la ville, un luth d'argent en forme de tête de cheval.

**1483.** Le 25 avril, en collaboration avec les frères de Predis, peintres milanais, contrat pour un retable destiné à la confrérie de l'Immaculée Conception. Léonard est chargé du panneau central et peint *La Vierge aux Rochers* du musée du Louvre (cf. page 51).

**1484.** Épidémie de peste à Milan (cf. page 16). Léonard peint *La Dame à l'Hermine*.

**1487 (35 ans).** Léonard participe au concours pour la construction de la tour-lanterne de la cathédrale de Milan.

**1490 (39 ans).** Le 13 janvier, « Bal des Planètes » à la cour de Milan (cf. page 18).

Le 22 juillet, Salai, âgé de dix ans, vient vivre chez Léonard.

La même année, Léonard tente (et réussit ?) l'ascension du Monte Rose (4 634 m).

**1492.** Christophe Colomb, âgé de 41 ans, découvre l'Amérique.

**1493.** Le 16 juillet, Léonard note l'arrivée chez lui d'une femme nommée Caterina, qui est peut-être sa mère.

En novembre, exposition de la maquette en terre du « Cavallo » (cf. page 14).

**1494.** Le roi de France Charles VIII passe les Alpes pour conquérir Naples. A Florence, le moine Savonarole prend le pouvoir et fait de la cité une théocratie. Léonard commence à apprendre le latin, langue scientifique de l'époque.

**1495.** Ludovic Sforza commande à Léonard *La Cène*, pour orner le réfectoire du monastère Santa Maria delle Grazie, à Milan. La fresque est achevée en 1498.

**1496 (44 ans).** Le mathématicien Luca Pacioli, âgé de 50 ans, arrive à Milan (cf. pages 40/41) et travaille avec Léonard.

**1499.** Deuxième expédition française en Italie : Louis XII entre dans Milan le 6 octobre. Ludovic Sforza s'est réfugié auprès de l'empereur d'Allemagne. Léonard quitte la ville en décembre, en compagnie de Pacioli et de Salai.

**1500 (48 ans).** Février-mars : après un court passage à Mantoue, où il dessine le portrait de son hôtesse, Isabelle d'Este, Léonard arrive à Venise.

En avril, il est de retour à Florence, redevenue une république. Il revoit son père, âgé de 74 ans, qui vit avec sa quatrième épouse et ses onze enfants. Il s'installe chez les Servites, pour lesquels il dessine le carton de *Sainte Anne, la Vierge et l'Enfant*.

**1502.** César Borgia (26 ans), fils naturel du pape, fait de Léonard son ingénieur militaire. Projet de pont sur la Corne d'Or, à Constantinople (cf. page 55). Rencontre et amitié avec Machiavel. A 33 ans, ce dernier est alors ambassadeur de Florence.

**1503.** Printemps-été : projet de canal sur l'Arno (cf. page 56).

Octobre : la ville de Florence commande à Léonard *La Bataille d'Anghiari* (cf. page 72), pour orner la salle du Conseil. Son rival Michel-Ange, alors âgé de 28 ans, doit peindre sur l'autre mur *La Bataille de Cascina*. Aucune des deux fresques ne sera achevée.

**1504.** Le 9 juillet : mort de ser Piero, père de Léonard.

**1505.** Léonard essaie sa machine volante. Il fait l'inventaire de sa bibliothèque (116 volumes).

**1506 (54 ans).** Léonard retourne à Milan, appelé par Charles d'Amboise, lieutenant général de Louis XII en Italie.

**1507.** Rencontre avec Francesco Melzi, fils d'un officier de Louis XII, qui devient son disciple. Projet de monument équestre pour le maréchal Jean-Jacques Trivulce.

**1505 / 1515.** Léonard peint, successivement ou simultanément, *Léda* (cf. page 73), *La Joconde* et *Saint Jean Baptiste*.

**1511.** Raphaël peint au Vatican la célèbre fresque de *L'École d'Athènes*, où il donne à Léonard les traits de Platon.

**1513 (61 ans).** Une coalition chasse les Français d'Italie. Léonard est appelé à Rome par Julien de Médicis, neveu du nouveau pape Léon X (fils de Laurent le Magnifique).

Léonard dessine son *Autoportrait*, conservé à Turin (cf. couverture).

**1515.** Le nouveau roi de France François Ier franchit à nouveau les Alpes. En juillet : victoire de Marignan.

**1516.** A l'automne, Léonard quitte l'Italie pour Amboise, où François Ier l'installe au manoir de Cloux (aujourd'hui le Clos-Lucé).

**1519 (67 ans).** Le 2 mai, Léonard meurt au Clos-Lucé, léguant à Melzi ses livres, ses écrits et ses instruments. Il est enterré dans la chapelle Saint-Florentin d'Amboise. Cette dernière est détruite en 1802 et les ossements dispersés. Un squelette, que l'on « suppose » être celui de Léonard, est alors enterré dans la chapelle du château.

**1521.** Melzi repart pour l'Italie, avec les manuscrits de son maître. Il compile le *Traité de la Peinture* (codex Urbinas), qui sera publié en 1651, premiers fragments des œuvres de Léonard accessibles au public.

**1570.** Mort de Melzi. Ses descendants laissent se disperser manuscrits et dessins. On estime aujourd'hui qu'un tiers environ a disparu.

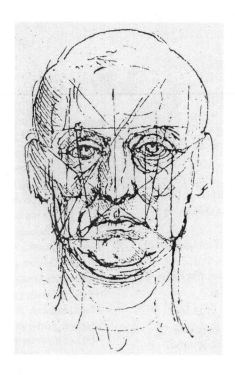

Achevé d'imprimer par les Impressions Dumas – 42100 Saint-Etienne
Dépôt légal : mai 1998 – N° d'imprimeur : 34295